Pour Étienne

Magali Bonniol

# C'est la nuit !

l'école des loisirs

11, rue de Sèvres, Paris 6e

C'est la nuit.

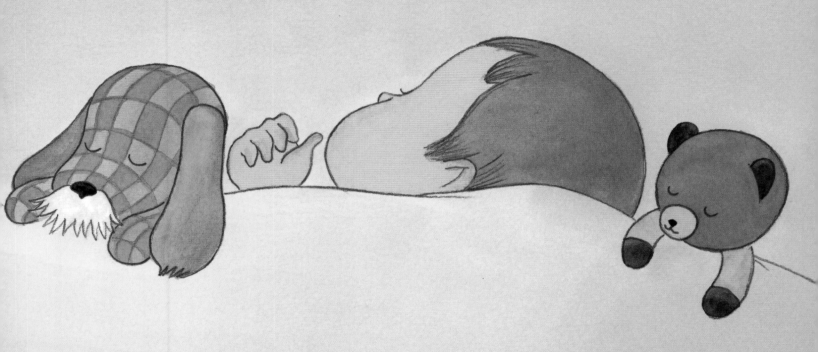

Tout le monde dort dans la chambre d'Étienne.

Seul Petit Lapin est encore éveillé.

« Comme c'est ennuyeux d'être un lapin en peluche ! » pense-t-il.

« J'aimerais être un vrai lapin sauvage, et me promener sous la lune ! »

Alors il se glisse hors de la chambre.

La maison est très sombre.
«Il y a certainement
un renard qui rôde…»,
songe Petit Lapin.

Il ramasse un crayon pointu :
« Si je le rencontre, gare à ses fesses ! »

Le voici dans le jardin, et dans la nuit.
La lune brille et les herbes frissonnent.

Petit Lapin serre fort son crayon.
Il croit voir briller les yeux du renard dans l'obscurité.
«Je n'ai pas peur», se dit-il, «je suis un vrai lapin sauvage maintenant.»

Mais ce ne sont que des lucioles qui luisent doucement.

« Connaissez-vous les grands lapins sauvages ? » leur demande Petit Lapin.

« Va voir dans le potager ! » répondent les lucioles.

Petit Lapin se faufile entre les salades.

«Les voilà! Je les ai trouvés!»
se dit-il, tout heureux.
Les lapins sont très occupés
à manger des carottes :
ils sont grands et magnifiques
avec leurs belles fourrures.

«Bonsoir», dit Petit Lapin.
«Je viens jouer sous la lune avec vous!»

« Voyez-vous ça ! » dit le grand lapin brun. « Un petit lapin en peluche ! »
« Comme il a l'air idiot, avec son crayon ! » ajoute le lapin roux.

Et ils retournent s'amuser dans le potager,
sans s'occuper de lui…

Soudain… Deux yeux brillants, des oreilles pointues
et une queue touffue surgissent derrière les plants de carottes.

«Le renard!» s'écrient les lapins affolés,
avant de disparaître à toute vitesse dans leurs terriers.

Petit Lapin brandit son crayon avec courage:
«Arrière, renard!»

Mais c'est une renarde et elle ne l'écoute pas :
elle l'attrape par les oreilles.

Elle le recrache aussitôt.
« Pouah ! Tu es immangeable ! »
dit-elle.

«Je le sais», soupire Petit Lapin.
«C'est parce que je suis un lapin en peluche!»
Et il se met à pleurer à chaudes larmes.

« Allons, allons », dit la renarde doucement. « Ce n'est pas si mal, un lapin en peluche. Moi, j'aimerais bien en avoir un ! »

« Vraiment ? » renifle Petit Lapin.
« Et on se promènerait ensemble sous la lune ? »

«Bien sûr!»
répond la renarde.

Alors ils s'en vont gambader dans la forêt.
Petit Lapin n'a pas peur,
cramponné à la fourrure douce et chaude.

« Comme c'est bien d'avoir un lapin en peluche ! »
se dit la renarde.

Quand le jour se lève, elle accompagne
Petit Lapin jusqu'à la maison.
«Rendez-vous la nuit prochaine!» lui dit Petit Lapin.
«Je t'attendrai dans le potager,
près des carottes», répond la renarde.

Petit Lapin se glisse dans la chambre : ouf ! Étienne dort encore !
« Quand ils se lèveront, je leur raconterai mes aventures ! »
se promet Petit Lapin.

Il fait grand jour, et le soleil brille dans la chambre d'Étienne.
Tout le monde est réveillé.
Enfin…

… sauf Petit Lapin !